D0806846

LES ÉDITIONS Z'AILÉES
22, rue Ste-Anne C.P. 6033
Ville-Marie (Québec) J9V 2E9
Téléphone : 819-622-1313
Télécopieur : 819-622-1333
www.zailees.com

DIFFUSION ET DISTRIBUTION : MESSAGERIES ADP
2315, rue de la Province
Longueuil (Québec) J4G 1G4
Téléphone : 450-640-1237
Télécopieur : 450-674-6237
www.messageries-adp.com
*filiale du Groupe Sogides inc.,
  filiale du Groupe Livre Québecor Média inc.

Infographie : Impression Design Grafik
Illustration de la page couverture : Richard Petit
Maquette de la page couverture : Gabrielle Leblanc
Texte : Jonathan Reynolds
Crédit photo : Guillaume Pratte

Impression : Août 2014
Dépôt légal : 2014
Bibliothèque nationale du Québec
Bibliothèque nationale du Canada

ISBN : 978-2-923910-82-6

Imprimé au Canada sur papier recyclé.

Les Éditions Z'ailées remercient la SODEC pour l'aide accordée à
leur programme de publication et reconnaissent l'aide financière du
gouvernement du Canada par l'entremise du Fonds du livre du Canada
(FLC) pour leurs activités d'édition.

Gouvernement du Québec — Programme de crédit d'impôt pour
l'édition de livres — Gestion SODEC

SODEC
Québec ☰☰

ONE
FROUSSE

TERRIFICORAMA

JONATHAN REYNOLDS

À tous les geeks, les zombies et les bedaines, sortez du Couloir des Rejets.

PROLOGUE

Le directeur me fixe, le visage dur. Il a sans doute fait exprès de me faire asseoir sur cette toute petite chaise; il ressemble à un géant sur le point de m'écraser. C'est d'une voix plus grave que d'habitude qu'il me sermonne :

– Je suis très déçu de toi.

– Je m'excuse…

Je me recroqueville, en baissant la tête. Doute-t-il de ma sincérité? C'est pourtant la première fois que je ne respectais pas un règlement…

– Je pourrais en parler à tes parents…

Mon père serait déçu, et ma mère se sentirait impuissante. Juste de penser à ces éventualités, je serre les poings.

– … mais j'ai eu une idée. Si tu acceptes, je pourrais effacer ton erreur de ma mémoire. Elle n'apparaîtrait donc jamais à ton dossier d'élève modèle…

Je lève le regard vers le sourire sadique qui déforme à présent ses lèvres. Peu importe ce qu'il a en tête, je n'aurai pas le choix d'accepter. Pourquoi ai-je eu cette idée folle de lancer une bombe puante dans la toilette des filles?

– Tu as peut-être entendu parler de Terrificorama…

COMMENT CONVAINCRE UN GEEK, UN ZOMBIE ET UNE BEDAINE?

Amélie aperçoit le groupe tout au fond du Couloir des Rejets. C'est ainsi que la plupart des élèves de sixième nomment ce corridor étroit et souvent plus poussiéreux que les autres de l'école W. Craven. Ceux qui ont eu la malchance d'obtenir un casier là deviennent automatiquement des rejets aux yeux des autres. Souvent, il s'agit de plus jeunes, en première ou deuxième année.

Mais ceux qu'Amélie s'en va rejoindre sont plus âgés.

Christophe-le-Geek, Zoé-la-Zombie et Georges-la-Bedaine. Tous en cinquième année et sans autres amis connus à l'extérieur de leur trio.

Contrairement à ce qu'on a souvent raconté à Amélie, ils ne puent pas et ne bavent pas.

Christophe-le-Geek serait même beau garçon sans ses lunettes épaisses et les broches qui envahissent sa bouche.

Zoé-la-Zombie possède les yeux bleus les plus éclatants; ils parviennent presque à faire oublier ses vêtements noirs, ses cheveux noirs, son maquillage noir, son vernis noir, ses bracelets noirs…

Georges-la-Bedaine n'intéresse

aucune fille à cause de son embonpoint évident, mais c'est sans doute parce qu'elles n'ont pas remarqué ce sourire sincère et généreux.

— Euh… dit ce dernier d'un ton timide, on n'a plus rien à donner. On a déjà été taxés hier par des gars de ta classe.

Les deux autres élèves rejetés fixent Amélie d'un air craintif. Est-ce à cause de ses vêtements de marque ou de sa coupe à la mode qu'ils n'osent pas lui faire confiance? La nouvelle venue tente de les rassurer en levant deux doigts en signe de paix, avant de se présenter :

— Je m'appelle Amélie et je voudrais me joindre à votre équipe.

Le trio reste aussi immobile que silencieux pendant de longues secondes. Puis, ses membres se dévisagent les uns les autres, le front plissé.

– De… de quelle équipe tu veux parler? demande Christophe-le-Geek.

– Je voudrais vous aider avec *Terrificorama*.

Zoé-la-Zombie s'avance de quelques pas en secouant la tête.

– Si c'est pour rire de nous, tu peux t'en aller… On a assez de problèmes avec vous autres, les sixièmes… Pourquoi on voudrait tomber dans ce nouveau piège?

Amélie soupire, fixe ses espadrilles de course neuves

un court moment. Comment les convaincre? Quand elle redresse la tête, elle affiche un sourire amical.

– Ce n'est pas un piège. Je m'intéresse vraiment à ce que vous faites.

Georges-la-Bedaine semble la croire, si Amélie se fie à son visage qui s'illumine.

– C'est vrai? s'exclame-t-il d'un ton joyeux. Ça, c'est vraiment une bonne nouvelle!

Zoé-la-Zombie tente d'interrompre sa lancée optimiste en posant une main sur son épaule.

– Une bonne nouvelle? Mais de quoi tu parles? Pourquoi une sixième qui ne nous a jamais adressé la parole s'intéresserait tout à coup à nous?

Amélie recule de quelques pas, l'estomac serré.

– Écoutez, je ne voulais pas vous fâcher en venant ici... Je... Laissez faire, je vois que vous n'avez pas besoin d'aide.

Elle n'a pas le temps de se retourner que Christophe-le-Geek intervient :

– Attends... Ne t'en va pas. Explique-nous plutôt pourquoi *Terrificorama* t'intéresse...

Amélie prend le temps de les regarder à tour de rôle avant de se justifier :

– J'aime bien les histoires qui font peur, les légendes

supposément vraies qu'on se raconte autour du feu... Depuis que je suis petite, ça m'intrigue. Et dernièrement, je suis tombée sur votre revue à la bibliothèque de l'école.

– Ah oui? demandent les deux garçons en même temps.

Pour sa part, Zoé se contente de dévisager Amélie, les bras croisés.

– Oui, continue cette dernière. C'était le numéro 3, celui sur l'ancienne usine à la sortie de la ville qui serait maintenant hantée. Les photos donnaient vraiment la chair de poule.

– C'est moi qui m'occupe des photos, dit soudainement Zoé, l'air fier. Ça ne te dérange pas qu'elles soient en noir et blanc?

— Pas du tout. Ça ajoute de l'ambiance, je trouve. Et les textes, ils sont vraiment bons aussi. Ils donnent le goût d'aller visiter ces couloirs déserts, ces pièces de machinerie rouillées... C'est toi, Christophe, qui les écris?

— Non, c'est Georges, répond Christophe. Moi, je fais le montage, avec mon oncle qui est graphiste. J'imprime les pages sur l'ordinateur de ma mère, je les fais photocopier au bureau de mon père. Et je broche les vingt exemplaires de *Terrificorama*. Je m'occupe aussi du site Internet.

— Wow! Vous formez vraiment une belle équipe. Bravo pour ce que vous faites.

Amélie remarque que les joues de Georges s'empourprent. Probablement qu'il ne reçoit pas souvent de compliments. Les autres semblent également touchés par ses commentaires positifs.

– Si ça vous tente, euh... J'ai pensé que je pourrais demander à mon père pour faire plus d'exemplaires encore. C'est lui le propriétaire des Presses du Lac.

Les yeux de Christophe s'agrandissent alors qu'il jubile :

– Quoi? Les Presses du Lac? La grosse imprimerie?

C'est au tour d'Amélie de devenir gênée. Elle n'avoue pas souvent que sa famille est riche. Mais dans ce cas-ci, ça en vaut la peine.

– Oui, et au lieu de simplement les brocher, ce serait possible, s'il est d'accord, de faire une reliure allemande, comme pour les vrais livres…

Comme Amélie l'avait prévu, cet argument provoque une explosion de joie chez le trio. Même Zoé sourit à pleines dents comme si elle n'avait jamais éprouvé de doutes à son égard.

– Bienvenue dans l'équipe de *Terrificorama*! lui annonce Christophe.

LE REPAIRE SECRET

Dès qu'Amélie voit la petite cabane de bois surélevée au fond de l'immense garage, un frisson de joie la traverse.

– Ça, c'est notre repaire secret! explique Christophe en l'entraînant à sa suite.

– C'est super! C'est ton père qui l'a construit?

Christophe laisse filer un bref rire nerveux.

– Non. Mon père n'est pas

tellement manuel. C'est ma mère qui adore bricoler avec des outils et tout…

– En tout cas, elle est vraiment douée!

Amélie ressent une pointe de jalousie. Pourquoi ses parents ne sont-ils pas aussi présents pour elle? Sa mère, une bouteille de vin dispendieuse à la main, est toujours écrasée sur le divan de luxe. Son père ne cesse de travailler, de travailler et de travailler encore comme s'ils avaient besoin de plus d'argent… Elle évacue ses pensées noires dans un court soupir. Après tout, elle est chanceuse : la voici avec de nouveaux amis. Et leur projet sort vraiment de l'ordinaire…

— Zoé et Georges ne sont pas encore là?

— Non, ils vont arriver un peu plus tard. Regarde l'échelle. Elle est *cool*, hein?

Amélie pose ses yeux sur l'échelle en question, qui permet de grimper au repaire du trio. Après quelques secondes, elle discerne sur chacun des barreaux de nombreuses gravures représentant des créatures fantastiques : des fantômes, des loups-garous, des vampires...

— Wow! C'est toi qui as fait ça?

— Oui, un peu. Mais c'est surtout Zoé. Elle adore les monstres et elle ne fait jamais les choses à moitié.

– Vous êtes vraiment des passionnés!

Un sourire contagieux aux lèvres, Christophe l'invite à monter la première dans la cabane. Une fois les six barreaux gravis, Amélie est contente de ne pas souffrir de vertige. Le repaire de la bande est plus haut qu'il n'y paraît vu d'en bas. Qu'il est grand, ce garage! De l'extérieur, on ne le dirait pas, mais en plus du repaire, il contient trois vieilles voitures et un espace de travail avec des outils de toutes sortes.

Pendant que Christophe monte la rejoindre, Amélie se retourne vers l'intérieur de la cabane. Les murs sont tapissés d'affiches de monstres et de maisons abandonnées. Probablement des photos prises par Zoé. Des coussins recouvrent le sol en bois dur et une table ronde repose au centre. Sur celle-ci sont éparpillés des livres, des revues et des feuilles manuscrites.

Quand Christophe arrive à côté d'Amélie, il semble encore plus enjoué que tout à l'heure :

– C'est ici qu'on discute des numéros de *Terrificorama*.

Et il se dirige vers la table où il ramasse une revue en noir et blanc. Lorsqu'il la tend à Amélie, elle remarque qu'il s'agit du premier numéro de *Terrificorama*. Elle en reconnaît tout de suite le logo et la mention *N° 1* dessinés à la main. On dirait des lettres liquides qui coulent sur la photographie de l'ancienne bibliothèque de la ville maintenant reconvertie en salle communautaire. Dans le bas de la page couverture, *Des témoins auraient vu les fantômes d'anciens lecteurs!* est écrit en lettres majuscules pour attirer l'attention.

– C'est vraiment super! commente Amélie.

Elle feuillette les vingt-quatre pages emplies de photos de supposés témoins et du lieu apparemment hanté, de dessins de fantômes et de pierres tombales, et de textes sur le sujet en question. Comme pour le numéro trois, qu'elle a vu à la bibliothèque de l'école, celui-ci semble très intéressant. Si elle peut vraiment convaincre son père de les aider, comme elle l'a promis aux membres du trio hier, l'apparence de cette revue s'en trouverait améliorée... et le nombre de lecteurs aussi. À condition, bien sûr, qu'elle réussisse à parler à son père entre deux de ses innombrables réunions. Elle se retient de justesse de soupirer devant Christophe.

— Hé, les jeunes! Du poulet pour souper, ça vous tente? demande une voix qui résonne dans tout le garage.

— Oui, maman! répond Christophe. C'est correct si mon amie reste avec nous? Et les autres de la bande aussi, qui s'en viennent nous rejoindre?

– Bien sûr! C'est pour ça que j'ai dit « les jeunes » et pas seulement ton nom, mon coco!

Christophe rougit et baisse la tête. Puis, en se tournant vers Amélie, il demande :

– Euh... toi, aimes-tu le poulet?

– Oui!

– Est-ce que ça dérangerait tes parents?

Cette fois-ci, Amélie ne réussit pas à cacher sa tristesse derrière un sourire.

– Qu'est-ce qu'il y a? interroge l'adolescent.

– Ça ne dérangera personne... Mon père n'est jamais là. Et ma mère... ma mère ne se rendra même pas compte que je ne suis pas rentrée.

– Oh…

Christophe baisse les yeux encore une fois.

– Je m'excuse, dit-il. Je ne pensais pas…

– Non, c'est correct. Je… je préfère qu'on parle d'autre chose. Euh… Comment avez-vous eu l'idée pour *Terrificorama*?

Les yeux du Geek s'illuminent aussitôt, comme si le malaise était déjà oublié.

– C'est Georges. Quand je l'ai connu, il y a deux ans, je le voyais toujours lire des bandes dessinées de superhéros. X-Men, Superman, et plein d'autres. C'est grâce à ça qu'on s'est parlé. On s'est rapidement rendu compte que nos passions allaient bien plus loin que les superhéros. Comme moi, il aime les légendes, les histoires de peur. Surtout si elles sont vraies.

Il pointe la montagne de livres sur la table.

— On s'est mis à collectionner les articles de journaux sur la région pour y chercher des histoires mystérieuses qui s'y seraient passées. Et un beau jour, Georges m'a demandé : « Est-ce que ça te tenterait de faire une revue avec moi? » Même si je ne savais pas trop comment faire, j'ai tout de suite accepté.

— Et Zoé est venue ensuite?

– Oui. Ni moi ni Georges ne sommes bons pour prendre des photos. Et un matin, elle est venue nous voir, comme toi tu l'as fait, et nous a proposé son aide. Pendant que j'y pense : j'ai ajouté ton nom sur le site Internet.

– Wow! C'est gentil!

– Tu fais partie de l'équipe, maintenant.

– C'est vraiment *cool*! Je fais partie de *Terrificorama*! Au fait, qui a trouvé le nom?

Amélie sait qu'elle ne saura pas la réponse quand une autre question vient interrompre leur conversation :

– Hé! Qu'est-ce que vous complotez là-haut?

Amélie reconnaît la voix de Georges. Christophe et elle se rendent à la limite du plancher, sur le bord de la cabane, et voient la Bedaine et Zoé au bas de l'échelle.

— On a une idée pour le prochain numéro, annonce la Zombie. Un endroit vraiment effrayant...

LA GARDIENNE RÔDE DANS L'ÉCOLE

Les graffitis rouges sur les murs laissent présager le pire. Parmi les dessins, on reconnaît des monstres à plusieurs têtes, gueules dentées et griffes acérées… Mais ce qui préoccupe davantage Amélie, ce sont les avertissements. Ceux-ci sont barbouillés çà et là au travers de la mousse brunâtre et des planches pourries qui barricadent les fenêtres de la vieille école :

Entrée interdite! Sous peine de mort!

*L'enfer vous attend! Damnés!
Damnés!*

La Gardienne rôde dans l'école.

La Gardienne. Amélie sent un
long frisson traverser son échine.
Cette vieille histoire de peur que
tous les enfants de la ville ont
entendue au moins une fois dans
leur vie quand ils ne voulaient pas
se coucher. Et Amélie en a rêvé
longtemps, quand elle n'avait que
cinq ans. Sa mère la lui racontait
chaque semaine, le jeudi soir.
Son haleine empestait l'alcool.
Que la fillette soit au lit ou non
ne dérangeait pas la femme; la
légende urbaine prenait vie dans
son imagination. La mère d'Amélie
lui narrait l'histoire de Madeleine
Grondin, la gardienne cannibale
qui dévorait les enfants quand ils

n'étaient pas sages.

Amélie tente de cacher les tremblements de son doigt lorsqu'elle pointe la porte d'entrée, elle aussi placardée.

– Comment on fait pour entrer?

Georges sort un marteau de son sac à dos.

– Avec ça... Zoé et moi, on avait déjà remarqué la pourriture sur les planches.

D'un hochement de tête, Zoé approuve. Pour sa part, Amélie a envie de tout laisser tomber. Mais après quelques secondes pendant lesquelles son cœur bat la chamade, elle se ressaisit. Après tout, les monstres n'existent pas quand on a douze ans. Ce ne sont que des histoires racontées par une mère insouciante.

FLOP!

Le premier coup de marteau sort Amélie de ses pensées. Ce n'est pas un bruit ferme, plutôt un son humide qui lui donne la nausée. Elle n'a pas le temps de se boucher les oreilles que Georges assaille les planches de nouveaux coups.

FLOP! FLOP! FLOP!

En moins d'une minute, les planches, ou ce qu'il en restait, n'entravent plus l'entrée.

– En tout cas, ça paraît que personne ne s'est aventuré sur les lieux depuis longtemps, fait remarquer Christophe. Est-ce que vos parents étudiaient aussi ici quand ils étaient jeunes?

– Euh… je ne sais pas, répond Georges. Il faudrait que je le leur demande.

– Ma mère venait à cette école, dit Amélie. Mais mon père, lui, n'est pas originaire de la région.

Une puissante odeur de vinaigre attaque ses narines. Elle doit se boucher le nez. Ses amis en font autant en poussant des râles de dégoût.

– Ark! C'est pire que les vieilles bottes de ma mère, dit Zoé, les traits du visage plissés. Et à voir comment cette école pue, je suis content que mes parents n'y soient jamais venus!

— Je ne peux pas comparer, blague Christophe, mais je n'ai jamais senti rien d'aussi mauvais! Peut-être que c'est l'odeur de la Gardienne? Rappelez-vous le nombre de fois nous nous sommes fait raconter que c'était son repaire.

Cette fois-ci, Amélie ne peut s'empêcher d'exprimer sa peur :

— Euh... êtes-vous sûr que c'est une bonne idée qu'on entre là-dedans?

Les trois autres la dévisagent comme si elle venait de leur avouer qu'elle est une extraterrestre. Son estomac se serre de plus en plus pendant la durée de ce regard. C'est Georges-la-Bedaine qui rompt le silence :

— Tu veux laisser tomber?

Amélie se mord la lèvre inférieure. Surtout à cause du ton déçu qu'il a utilisé.

— Non, non. Bien sûr que non!

— Bon, alors, qu'est-ce qu'on attend? demande Christophe.

Il donne l'exemple en franchissant le seuil, muni d'une lampe de poche. Georges le suit. Ce dernier garde son marteau en main, une main tremblante selon ce qu'Amélie remarque dans le faisceau de sa propre torche électrique. Ensuite, c'est au tour de Zoé qui, encore une fois, porte bien son surnom de Zombie : le regard glacial qu'elle jette à Amélie ne laisse aucun doute quant à ses pensées. De nouveau, elle ne semble pas accorder une confiance aveugle à la nouvelle venue dans le groupe.

– Si tu es avec nous, tu dois l'être jusqu'au bout...

– Oui. Je suis avec vous.

– Tu en es sûre?

Pour toute réponse, Amélie hoche la tête. Elle ne pourrait pas répondre oralement. Sa gorge est nouée et, jusqu'au moment où la Zombie détourne son attention vers l'appareil photo qu'elle tient, Amélie ne respire plus.

– Je t'ai à l'œil, dit la gothique avant d'entrer à son tour dans l'école abandonnée.

Amélie ferme les yeux un court instant. Elle pourrait rebrousser chemin vers la maison. Mais rien ne l'attend là-bas. Tandis qu'ici, elle a une chance de tisser de nouvelles amitiés.

JUSTE LÀ, DERRIÈRE EUX

Dans les couloirs sombres et baignés d'une odeur nauséabonde, Amélie suit le Geek, la Zombie et la Bedaine, sans porter attention à ce qui se trouve autour d'elle. Ou, du moins, au peu qui se dévoile aux faisceaux lumineux de leurs torches électriques. Elle se concentre plutôt sur deux choses : la nausée qui s'installe de plus en plus en elle et l'arrière de la tête de Zoé. Depuis plusieurs minutes, ils avancent dans la noirceur omniprésente et Amélie n'ose pas regarder ailleurs. Pourquoi ce simple graffiti, *La Gardienne rôde dans l'école*, réveille-t-il une telle frayeur en elle? Après tout, elle n'a pas repensé depuis longtemps à cette histoire de peur...

C'est peut-être parce que ses compagnons et elle errent dans une vieille école abandonnée... et que quelqu'un ou quelque chose peut se tapir dans les ténèbres. Juste là, tout près d'eux.

Près d'elle.

Amélie sursaute quand un bruit de course surgit derrière elle. Son cri est rapidement suivi de ceux des autres, tout aussi perçants. Elle se retourne aussitôt la surprise passée. Dans le tunnel de lumière créé par sa lampe de poche et celle de Christophe, Amélie entrevoit une ombre disparaître au bout du corridor. Figée d'effroi, elle ne dit rien quand Georges, marteau brandi comme une arme, lui demande :

– Qu'est-ce qui se passe? Qu'est-ce que c'était?

Christophe éclate d'un rire nerveux avant de répondre à sa place :

– Sûrement juste un chat ou un chien errant... Tu cries vraiment fort, Amélie. Je pensais que... que...

Zoé soupire.

– OK, tout le monde. On se calme! Ce n'était rien du tout. Je pense juste qu'Amélie est pas mal peureuse. D'abord, pourquoi as-tu crié comme ça?

La Gardienne, c'est à cause de la Gardienne. Elle était là, à deux doigts de me toucher... C'est ce qu'Amélie aimerait répondre à Zoé. Mais pour ne pas lui donner raison, elle se rallie plutôt à la théorie de Christophe :

– Je pense que c'était juste un chat...

Après un court instant pendant lequel ils restent tous immobiles à fixer le bout du corridor, Christophe les invite à poursuivre. Malgré la peur qui ne la quitte pas, Amélie se sent soulagée que personne ne propose d'aller voir si c'était vraiment un chat, là, à quelques pas d'eux. La Gardienne s'y tenait il y a quelques secondes… Et cette dernière n'attend qu'une chose : qu'Amélie et ses amis se détournent de sa cachette et continuent leur exploration de l'école. Alors, là, elle sautera sur la première victime disponible : Amélie. À cette pensée, un long frisson remonte le long de son dos. Elle se maudit d'avoir une imagination si fertile, surtout une fois la nuit tombée. D'ailleurs, cette ombre en mouvement, là-bas, est-elle bien réelle?

– Hé, tu viens? demande Georges d'un ton qui laisse deviner une peur tout aussi vive.

Amélie se retourne vers le trio en tentant de faire taire la petite voix dans sa tête : *Madeleine*

45

Grondin, la cannibale, est juste là et elle va me dévorer...

– J'arrive!

Elle marche rapidement pour rejoindre les autres. Puis elle tente de se faufiler entre Zoé et Georges. Si, au moins, elle n'était plus la dernière de la file...

LA DESCENTE AUX ENFERS

Depuis plusieurs minutes, Amélie marche entre Georges et Zoé, qui ferme la file. Même s'ils n'ont pas entendu d'autres bruits suspects, elle ne se sent pas plus rassurée que tout à l'heure. Le souffle chaud et saccadé de Zoé chatouille sa nuque. Au fond, la gothique peut bien jouer les braves, mais la peur ne l'épargne pas, elle non plus, constate Amélie.

– Là, regardez! dit Christophe en pointant le faisceau lumineux sur sa droite.

Amélie retient son souffle en apercevant des marches qui s'enfoncent dans des ténèbres encore plus denses que dans les couloirs qu'ils arpentent depuis leur entrée. Car elle sait qu'ils descendront cet escalier. Après tout, les fantômes et autres créatures surnaturelles qui intéressent les lecteurs de *Terrificorama* ne se cachent-ils pas tous dans les sous-sols poussiéreux?

Exactement comme elle l'avait deviné, Zoé propose d'y aller. Les deux garçons n'hésitent qu'un court instant avant d'approuver.

– C'est parfait pour moi, murmure Amélie en tentant de camoufler le tremblement de sa voix.

Pour prouver à Zoé qu'elle n'a

pas froid aux yeux, Amélie descend la première d'un pas un peu trop rapide.

– Hé, attends-nous!

À cause des lourds battements de son cœur, Amélie ne peut identifier qui s'est adressé à elle. De toute façon, presque toute son attention est rivée sur les marches de béton grises qui apparaissent une à une dans la lumière faiblissante. Il ne manquait plus que ça! Les piles de sa lampe de poche rendront bientôt l'âme... et ils n'auront plus qu'une seule torche électrique, celle de Christophe. Quand elle voit la noirceur l'englober davantage, Amélie interrompt pendant quelques secondes sa descente. Elle entend les pas de ses amis. Ceux-ci la rejoignent.

– Tu étais pressée… dit Christophe dont le faisceau lumineux repousse la nuit autour d'Amélie.

– Euh… oui, ment-elle. J'ai hâte de voir des fantômes ou…

– … ou la Gardienne, peut-être? lâche Zoé d'un ton sarcastique. Arrête ton jeu, tu es morte de peur depuis qu'on a vu le graffiti dehors. *La Gardienne rôde dans l'école…*

Un silence glacial s'abat sur le groupe. Amélie ne trouve rien d'intelligent à répliquer. Si elle disait quelque chose, ses nouveaux amis sauraient qu'elle ment, elle le sent. Pendant que son esprit s'emmêle dans ses pensées, sa lampe de poche cesse de fonctionner.

Christophe profite de ce moment

pour rompre le silence :

– Bon, on dirait bien que c'est à moi de descendre en premier…

Il passe à côté d'Amélie. Il ressemble davantage à une silhouette ombrageuse qu'au geek inoffensif qu'elle connaît.

Georges chuchote près de l'oreille d'Amélie :

– Ne t'en fais pas, on n'a jamais vraiment vu de fantômes. Mais moi aussi, j'ai peur.

Elle voudrait lui confier à quel point il la rassure, mais le soupir de Zoé lui en coupe l'envie.

Ils se remettent à descendre. Amélie, qui est plus petite que Christophe, ne voit pas très bien devant elle. Heureusement, tout semble calme à part leurs propres bruits de pas et leurs souffles courts. Alors qu'ils arrivent au bas des marches, l'odeur de vinaigre laisse place à une autre qu'Amélie ne parvient pas à identifier clairement. De la charogne? Ça lui rappelle celle du chien écrasé sur le bord de la route, lorsqu'elle avait huit ans. La bile lui brûle la gorge. Elle se penche rapidement sur le côté pour vomir.

– Ark! crie Zoé.

Georges bouscule légèrement Amélie en émettant un gargouillis dégoûtant. Il vomit à son tour.

– Je… je… ne peux plus continuer… L'odeur est trop dégueulasse! bafouille-t-il en relevant la tête.

Pour une fois, Zoé ne commente pas. Même si Amélie ne peut la voir, elle l'imagine en train de se boucher le nez.

— Moi non plus, avoue Amélie. Il faut que je sorte d'ici.

— Moi, je continue! Je sens qu'on va découvrir des choses intéressantes... dit Christophe en s'éclairant le visage, crispé de dégoût. Et toi, Zoé, il faut que tu viennes, pour les photos!

Le Geek éclaire la Zombie. Comme Amélie s'y attendait, la gothique se bouche le nez et semble, elle aussi, envahie par une solide nausée.

Elle réussit tout de même à dire :

– Oui, oui. Christophe, tu peux compter sur moi…

– Parfait! Les autres, retournez en haut pour nous attendre.

Amélie songe soudain que Georges et elle seront alors plongés dans le noir total, à la merci de… *de rien du tout! Il n'y a rien d'autre que nous dans cette vieille école,* tente-t-elle de se rassurer.

– Hé, Christophe, chuchote Zoé, éclaire un peu par là… sur ta droite… On dirait qu'il y a quelque chose…

Ils se tournent tous pour suivre le faisceau lumineux. Amélie retient son souffle et ce n'est plus à cause de l'odeur pestilentielle.

MAIS QU'EST-CE QUE C'EST?

La lampe de poche du Geek éclaire plusieurs rangées de caisses de bois et de métal. Elles sont alignées par dizaines, en pile de quatre ou cinq. Quelques-unes sont parterre, ouvertes, comme si quelqu'un ou quelque chose les avait fait tomber.

Sans un mot, les quatre amis s'avancent vers l'une des caisses éventrées. Amélie voit dans le contenu renversé au sol des feuilles de papier manuscrites, d'autres remplies d'écriture à la dactylo. Aussi, elle reconnaît des cassettes VHS, l'ancêtre du Blu-Ray et du DVD; sa mère, dans un de ses rares moments de lucidité, lui en a déjà montré. Toutes sont identifiées par une appellation énigmatique et des dates : *Projet T : 15 juillet 1992, Projet T : 26 octobre 1993, Projet T : 14 janvier 1994...*

– Mais qu'est-ce que c'est? demande Zoé en s'agenouillant pour fouiller dans le désordre.

– Aucune idée... souffle Christophe. Peux-tu prendre tout ça en photo, Zoé? Je sens qu'on tient quelque chose.

Amélie se souvient d'un film à la télévision dans lequel on voyait un laboratoire secret avec des recherches tout aussi secrètes. Et il y avait plein de caisses comme celles-là. Elle frissonne en se rappelant que le laboratoire appartenait à l'armée. Et s'ils venaient de tomber, par hasard, sur ce genre d'endroit interdit au public?

Une explosion lumineuse la fait sursauter. Clic! C'est Zoé qui a commencé à photographier le matériel répandu sur le sol. Clic! De leur côté, Georges et Christophe s'approchent d'autres caisses ouvertes.

– Wow! s'exclame Georges. Venez voir ça!

Amélie et Zoé rejoignent les garçons. Christophe tient la lampe de poche au-dessus d'une caisse ouverte. À l'intérieur, il y a, pêle-mêle, plein de photos en noir et blanc de gens et de lieux qu'Amélie ne reconnaît pas. *Projet T* indique en grosses lettres la page couverture d'un paquet de feuilles. Clic! Clic!

Nous n'avons pas le droit d'être ici... Amélie ne peut s'empêcher d'imaginer qu'on les observe. Quelqu'un qui ne tient pas à avoir la visite de petits curieux dans leur genre... Alors qu'elle s'apprête à partager ses pensées avec les autres, un détail attire son attention sur sa gauche. Une tache plus noire que les ténèbres environnantes.

– Je ne pense pas qu'on soit seuls, ici...

Clic! Clic! Ses trois amis ne lui portent aucune attention, fascinés par le contenu de la caisse. Amélie plisse les yeux pour tenter de discerner ce qui a attiré son regard. C'est immobile. Ça ressemble à un être humain. Et c'est couché sur le sol.

– Euh… euh…

– Quoi? Qu'est-ce qu'il y a? demande Christophe en se retournant vivement avec la lampe de poche.

À quelques mètres de là, le cadavre d'un être humain dévoré par des centaines de petits vers blancs; il est étendu sur le ventre. Avec ce qu'il lui reste de main, il tient une mallette noire.

– Oh mon dieu! ne cesse de

répéter Christophe, le faisceau lumineux vacillant à cause de ses mains tremblantes.

Amélie gémit quand son estomac se tord. Sur la mallette, elle a lu les mots suivants : *Projet Terrificorama 1994.*

ET ZOÉ...

Amélie a encore mal aux côtes et ses jambes brûlent de fatigue. Elle n'a jamais couru aussi vite pour s'enfuir de toute sa vie. Même quand, en deuxième année, Richard-le-Géant voulait lui mettre la tête dans les poubelles de la cafétéria.

Un cadavre.

Ils ont vu un cadavre.

Dévoré par les vers.

Tout le long de sa fuite, elle n'a

pas été capable de crier. Même si, à plusieurs reprises, elle a trébuché dans le noir. Quand s'est-elle rendu compte que les autres la suivaient de près? Seulement à son arrivée chez les parents de Christophe, le seul endroit sûr qui est venu en tête.

Ce n'est pas possible!

À côté de ça, la légende de la Gardienne n'est pas du tout effrayante.

Présentement, elle est accroupie sur l'herbe, les genoux ensanglantés et le corps tremblant. Non, non, non... Tout tourne tellement vite autour d'elle. Son cœur bat trop fort, ses tympans semblent sur le point d'exploser! POC POC! POC POC!

Elle perd connaissance.

Quand elle ouvre les yeux, Amélie sait qu'elle n'est plus à l'extérieur. On la transporte; elle sent deux bras qui la serrent. Sa vue se précise peu à peu. Elle reconnaît le visage inquiet de Georges. Tout en sueur, il la porte tant bien que mal dans le garage des parents de Christophe.

– Georges... Je suis réveillée...

La Bedaine prend quelques instants avant de poser son regard sur elle, comme s'il n'avait pas tout de suite entendu les paroles de sa copine. Puis, quand il la fixe, elle lit dans ses yeux la terreur pure. Sans rien dire, il l'aide à se mettre sur pied. Tout étourdie, Amélie a du mal à se tenir sur ses jambes, qui sont molles. C'est Christophe qui, en passant un bras dans son dos, l'aide à avancer.

– La cabane… Pourquoi on va dans la cabane? demande Amélie d'une voix pâteuse.

Personne ne lui répond jusqu'à ce qu'ils arrivent devant l'échelle. En ce moment, les multiples monstres qui y sont gravés ne lui paraissent plus si amusants.

Les dents tranchantes d'un loup-garou, un vampire aux yeux hypnotiques, une sorcière et son sourire cruel…

Morbide. Tout ça la fait tremler de plus belle.

Pourquoi a-t-elle voulu s'intéresser à tout ça?

Le paranormal. Les fantômes. Les secrets de la ville…

Elle n'aurait jamais dû.

– La police… Il faut appeler la police… suggère-t-elle d'un ton peu assuré.

Ses amis ne semblent pas en meilleur état qu'elle. Georges fixe le vide devant lui. Probablement que, dans sa tête, il voit encore le cadavre du sous-sol… Christophe a le teint blême, comme s'il allait s'évanouir à son tour. Et Zoé…

Zoé tient la mallette noire!

– Qu'est-ce que tu fais avec ça? demande Amélie.

Zoé la dévisage avant de répondre :

– C'est Christophe qui m'a dit de la prendre.

Amélie se tourne vers le Geek.

– Mais pourquoi?

L'air troublé, Christophe ne la regarde pas dans les yeux quand il répond :

– On monte et je vous explique ensuite.

Ne sachant pas trop si elle se sent fâchée ou curieuse, Amélie monte la première et à une bonne vitesse. Les autres prennent plus de temps à la rejoindre. D'abord

Georges, puis Christophe. Zoé atteint la cabane en dernier, la valise en main.

Amélie constate qu'elle n'est pas la seule à ne pas comprendre de quoi il s'agit. Georges et Zoé paraissent aussi impatients qu'elle d'entendre ce que Christophe s'apprête à leur dire.

Et pourtant, ils gardent tous le silence jusqu'à ce que le Geek prenne la mallette, la dépose sur le sol devant lui et l'ouvre.

CE QUI S'EST PASSÉ EN 1994

Amélie, Georges et Zoé s'approchent rapidement de Christophe pour découvrir le contenu de la mallette. Pendant une seconde ou deux, Amélie ne comprend pas ce qu'elle voit. Quelle est cette forme circulaire, de couleur gris-noir?

– C'est une bobine audio, un enregistrement sonore, explique Christophe.

Personne ne réagit. Amélie ne se souvient pas d'avoir vu une telle chose de toute sa vie. Ce devait être bien avant les clés USB et les disques compacts...

— Je ne pensais pas tomber là-dessus, continue-t-il en manipulant avec soin la bobine. Mais mon père m'a déjà parlé du Projet Terrificorama. Même si je ne vous en ai rien dit, c'est ça qui m'a donné l'idée pour le nom de notre revue...

Il tire sur une pellicule à la fois sombre et transparente comme s'il en admirait des reflets que lui seul peut voir.

— Mon père m'a fait promettre de ne pas en parler. Jamais.

— Mais pourquoi il t'en a parlé, alors? demande Zoé.

Le Geek baisse ses yeux embués de larmes.

– Mon père boit beaucoup. Mais quand j'avais six ans, c'était vraiment pire. Certains soirs, il ne se souvenait même plus que j'étais son fils et il me confiait des choses que je n'aurais pas dû savoir... Quand il avait volé de l'argent à son frère... Quand il avait menti à ma mère... Le lendemain, je faisais semblant que ces conversations n'avaient pas eu lieu et lui, on dirait qu'il ne s'en rappelait pas. De toute façon, je ne voulais pas croire ce qu'il racontait... Je voulais seulement un père normal...

Amélie se sent soudain très proche de Christophe. Pendant une fraction de seconde, l'image de sa mère écrasée sur le divan s'impose à son esprit. Elle et ses histoires de Gardienne... Pauvre Christophe! Lui aussi est pris avec un parent alcoolique. L'adolescente aurait envie de lui demander si ça l'affecte autant qu'elle, mais elle ne l'interrompt pas dans son récit.

— Et là, un soir, il m'a raconté que, lorsqu'il avait douze ans, en 1994, le directeur de son école primaire l'a fait venir à son bureau. C'était parce qu'il avait mis une bombe puante dans les toilettes des filles. Selon ce que mon père m'a avoué, c'était la première fois qu'il faisait un mauvais coup. Mais au lieu de disputer mon père pour ça, le directeur lui a demandé une faveur, soit de participer au Projet Terrificorama.

Christophe s'interrompt, croise un bref instant le regard d'Amélie. Elle sent son cœur battre de plus en plus vite au fil des révélations du Geek.

— Avant ce soir, je ne pensais pas que c'était vrai. Pour moi, c'était juste une histoire inventée par un alcoolique qui n'avait plus toute sa tête... Mais là, avec cette bobine...

Georges émerge du silence avec un raclement de gorge qui sonne douloureux.

— Mais c'est quoi, au juste, le Projet Terrificorama?

En tremblant, Christophe dépose la bobine dans la mallette. Il soupire, comme s'il prenait le temps de mettre ses idées en ordre :

– C'était une expérience secrète que des scientifiques, en accord avec plusieurs personnes de la ville, menaient dans le sous-sol de l'ancienne école de mon père, celle où nous sommes allés ce soir. Ils avaient besoin d'enfants comme cobayes. Et le directeur leur en fournissait, en choisissant parmi les élèves. Mon père a donc participé au projet.

Amélie constate qu'elle se ronge les ongles, mais ne peut s'empêcher de continuer. Le Geek la fixe à nouveau même s'il ne semble pas vraiment la voir. Ses yeux sont vitreux, comme s'il visualisait une scène de son passé.

– Je ne sais pas trop ce qui s'est passé ensuite, mais peu de temps après, l'école a fermé. Ce que j'ai toujours considéré comme une histoire à dormir debout est en fait le plus grand secret de notre ville... Je regrette que mon père ne m'ait jamais dit sur quoi portait l'expérience.

– Mais moi, je ne le regrette pas, intervient une voix grave et rocailleuse.

UNE PROMESSE BRISÉE

En entendant la voix si près de son oreille, Amélie se mord le bout du doigt. Le temps qu'elle se retourne vers l'entrée de la cabane, Christophe s'exclame :

– Papa?!

Amélie ne supposait pas que le père de Christophe était si petit — il dépasse à peine son fils — et imberbe. Quand il parlait d'un alcoolique, elle l'imaginait barbu et beaucoup plus gros. Malgré sa taille, sa voix n'est vraiment pas aiguë.

– Tu m'avais promis que tu ne parlerais jamais de ça.

Le Geek n'ose pas répondre, l'air embarrassé. Amélie partage son malaise. Elle aimerait disparaître devant le regard inquisiteur du père de Christophe.

– Et en plus, tu es allé fouiller, avec tes amis, dans le seul endroit où il ne fallait pas...

Christophe ouvre la bouche, mais rien ne sort.

– Ne me dis surtout pas que c'est un malentendu. Je sais que vous êtes allés dans la vieille école. Je vous ai suivis. Vous avez même failli me voir.

Amélie comprend que l'ombre et les bruits de course, c'était lui.

Pour fuir son haleine d'alcool, elle recule discrètement de quelques pas. Elle heurte Zoé; celle-ci ne bronche pas.

— Les autres fois aussi, je vous ai suivis. Je voulais m'assurer que personne ne se blesserait. Mais là… j'aurais dû vous empêcher d'entrer. En même temps, je ne savais pas s'il restait ou non du matériel des expériences dans le sous-sol. Vous n'auriez pas dû voir tout ça.

Il baisse la tête et, les dents serrées, chuchote :

— Et surtout pas ce cadavre.

Amélie frissonne en revoyant mentalement le corps putréfié. Christophe s'avance vers son père et le confronte d'un ton menaçant :

– Qui est-ce?

Une lueur de frayeur traverse les yeux de l'homme avant que la colère ne s'installe :

– Je n'ai aucune idée de l'identité du mort. Il s'agit peut-être de l'un d'eux...

Puis il se calme d'un coup, comme s'il venait de prendre conscience de ses propres paroles.

– Je m'excuse... Toute cette histoire... Ça me fait revivre un vrai cauchemar...

Malgré les excuses de son père, Christophe ne semble pas attendri. Il tremble, mais Amélie sent que ce n'est pas de peur. C'est plutôt de rage, d'après son air tendu.

– Je veux comprendre! grognet-il. Qu'est-ce que c'était, le Projet Terrificorama?

Le père du Geek se raidit.

— Même si je vous l'expliquais, vous n'y croiriez pas.

Son fils ne dit rien, mais Amélie constate qu'il serre les poings. Elle-même ressent l'urgence de comprendre, de secouer cet adulte pour découvrir la vérité.

— Ce n'est pas ta faute, continue le père. Mais là, vous ne devez pas en parler dans le prochain numéro. Ça pourrait être dangereux. Et cette bobine, nous allons nous en débarrasser, au cas où… Je viens de mettre le feu à tout ce qui se trouvait dans le sous-sol de la vieille école…

La voix de la mère de Christophe les interrompt :

– Richard? C'est ton patron au téléphone!

L'homme se retourne vers l'extérieur de la cabane et regarde la porte qui sépare le garage et la maison.

– Euh... Je suis occupé avec Christophe et ses amis... Tu peux lui demander de rappeler?

– Il dit que c'est de la plus haute importance.

Le père grogne avant de promener son regard dur sur chacun d'eux.

– Nous n'avons pas fini. Vous restez tous ici et je reviens dans cinq minutes.

Sans attendre leur réponse, il descend l'échelle et entre dans la maison, suivi par sa femme. La gorge d'Amélie est sèche; elle peine à déglutir.

– Il n'a pas le droit de garder ça secret, murmure Christophe, les yeux à demi fermés.

Amélie ne saurait dire s'il est fâché ou effrayé, mais il referme la mallette et se dirige rapidement vers l'échelle.

– Qu'est-ce que tu fais? demande Georges, l'air effrayé.

Christophe le foudroie du regard.

– Qu'est-ce que tu penses? Je dois écouter ce qu'il y a là-dessus.

– Mais si ton père revient?

demande Zoé, encore plus blême que d'habitude.

Le Geek ne répond pas. En moins de deux, il entre dans la maison.

Amélie n'ose plus bouger, de peur que la soirée devienne encore plus étrange. *Je vais me réveiller, tout ça n'est pas réel...* Elle a beau se répéter cette phrase en boucle, ça ne change rien aux lourds battements de son cœur.

Combien de temps restent-ils là, immobiles? Amélie ne pourrait le dire, mais il lui semble qu'il s'écoule plus de cinq minutes. Elle ne cesse d'inventer différents scénarios à raconter au père de Christophe quand il reviendra...

– Qu'est-ce qu'on fait là, à attendre? s'écrie finalement Zoé, comme si elle sortait d'une transe.

— Mais qu'est-ce que tu veux qu'on fasse? demande Georges. Son père nous a demandé de rester ici…

— Je ne lui dois rien, ce n'est pas mon père! Moi, je vais m'occuper de ce qu'on aurait dû faire en sortant de la vieille école : je vais alerter la police.

Amélie regarde ses compagnons tour à tour.

— Ça ne vous tente pas de savoir ce qu'il y a sur cette bobine? demande-t-elle.

L'air songeur, le Zombie et la Bedaine la fixent. Mais Zoé hoche la tête avant d'emprunter l'échelle pour descendre.

— Non. Vous faites ce que vous voulez. Moi, je m'en vais au poste de police.

Amélie et Georges ne la retiennent pas. Pendant que la Zombie quitte le garage, ils descendent à leur tour et se dirigent vers la porte d'entrée de la maison.

Parvenus à destination, ils hésitent.

— Es-tu sûre que c'est une bonne idée? s'inquiète Georges.

Pour toute réponse, Amélie pose sa main sur la poignée. Mais la porte s'ouvre avant qu'elle n'ait le temps de la tourner. Le père de Christophe apparaît, le visage crispé par la colère.

NE FAIS PAS ÇA, CHRISTOPHE!

— Mais qu'est-ce que vous faites là? Je vous avais dit de rester dans la cabane!

Même si tout son corps se paralyse, Amélie ose répondre :

— J'ai… envie d'aller à la toilette, invente-t-elle.

— Tu mens!

En baissant le regard, elle avoue :

— Christophe… Il est entré dans la maison.

– Avec la bobine... ajoute Georges.

Le visage du père s'empourpre davantage tandis qu'il serre les dents.

– NON! crie-t-il en tournant les talons.

– Qu'est-ce qu'il y a, Richard? demande la mère, l'air confus, plus loin dans le couloir de l'entrée.

– LAISSE-MOI PASSER!

Dans un élan, il bouscule sa femme et s'enfonce dans la maison. Amélie et Georges le suivent, sans se préoccuper de la mère qui crie – autant de surprise que de colère.

Les pièces défilent sans qu'Amélie ait le temps de les voir.

Tout ce qui compte, c'est de ne pas perdre de vue l'homme hors de contrôle. Dans son état, qui sait ce qu'il pourrait faire subir à son fils?

Le père s'arrête devant une porte close.

– NON! NON! CHRISTOPHE, OUVRE LA PORTE!

Amélie et Georges arrivent derrière lui, laissant une certaine distance entre eux et le père de leur ami. Ils sont aussitôt rejoints par la mère qui continue de hurler son charabia. Son mari n'y porte pas la moindre attention. Il frappe sur la porte fermée.

– NE FAIS PAS ÇA, CHRISTOPHE! N'ÉCOUTE PAS CET ENREGISTREMENT! TU POURRAIS ENTENDRE SON CRI

ET TU N'AS PAS DE BOUCHONS DE CAOUTCHOUC!

Mais Christophe ne réagit pas aux avertissements de son père. Ce dernier a beau frapper, frapper et frapper encore dans la porte, rien à faire. Georges, beaucoup plus imposant que lui malgré son jeune âge, s'avance.

– Vous voulez que je la défonce?

– OUI, VITE!

Amélie voit la Bedaine s'élancer sur la porte et l'enfoncer facilement d'un coup d'épaule. Georges tombe par terre, le souffle coupé.

– CHRISTOPHE!

Le père n'attend même pas que Georges se soit relevé; il le piétine pour entrer dans la chambre.

Amélie commence à crier à l'instant où elle découvre la scène.

Au milieu d'une panoplie d'appareils électroniques neufs et anciens, Christophe est assis sur une chaise devant l'écran de son ordinateur. Amélie ne voit pas ses oreilles, avalées par de gros écouteurs noirs. Mais elle aperçoit le sang qui s'échappe d'elles à grands flots et les mains du Geek agités de tremblements convulsifs.

Amélie crie davantage quand le père enlève les écouteurs, ce qui expose deux moignons sanglants à la place des oreilles. Les yeux exorbités par l'horreur, l'homme secoue son fils comme si ça pouvait le ramener à la vie.

– NON! CHRISTOPHE! POUR-QUOI?

Le corps du Geek tombe dans les bras de son père, qui éclate en larmes. Sa femme les rejoint. Elle est aussi impuissante que son mari pour sauver leur fils.

Les jambes d'Amélie fléchissent et elle s'effondre sur le sol. Elle n'entend plus rien. Et sa vision devient floue.

LA VÉRITÉ DOIT SE SAVOIR

Le temps passe.

Une minute? Une heure? Une journée? Une semaine?

Amélie ne sait pas. Elle ne peut même pas dire comment elle s'est retrouvée couchée dans son lit. Autour d'elle, il y a eu beaucoup de mouvements. Beaucoup de gens. Des visages paniqués. En pleurs. Qui tentaient de lui parler. Des inconnus plus calmes (des policiers, beaucoup de policiers, et des ambulances aussi). Mais elle n'entendait rien. Rien, à part les cris qui hantent son esprit : *NE FAIS PAS ÇA CHRISTOPHE! N'ÉCOUTE PAS CET ENREGISTREMENT!*

Cette unique pensée hante son esprit : Christophe est mort.

Le sang. Les moignons à la place des oreilles. Son corps qui tombe dans les bras de son père.

NE FAIS PAS ÇA...

On la touche. Sa mère est assise à côté d'elle dans le lit. Haleine d'alcool, comme toujours. Était-elle assise là, tout à l'heure?

... CHRISTOPHE!

Les lèvres de sa mère s'agitent. Elle doit être en train de lui parler.

N'ÉCOUTE PAS...

Sa mère lui tend le téléphone sans fil. Amélie ne bouge pas.

... CET ENREGISTREMENT!

Sa mère lui colle le combiné sur l'oreille. Puis, tout à coup, elle entend :

— Amélie?

Elle reconnaît la voix de la Bedaine. Pour la première fois depuis une éternité, elle se décide à parler :

— Georges?

Il y a un long silence au bout du fil. Amélie remarque que sa mère n'est plus à côté d'elle. Depuis combien de temps est-elle en position assise? Vraiment, elle en perd des bouts.

– Amélie... Même si son père a détruit la bobine, Christophe avait eu le temps de mettre l'enregistrement en ligne. C'est Zoé qui l'a vu sur le site. Elle n'ose pas l'écouter. Elle dit que ça nous tuerait, comme ça a tué Christophe. Mais si, comme moi, tu ne peux pas faire autrement... que tu veux comprendre pourquoi Christophe est mort, va sur le site de *Terrificorama*.

– Georges?

Mais déjà, on a raccroché à l'autre bout de la ligne.

« Pourquoi Christophe est mort... » Elle veut comprendre, elle doit savoir.

Lorsqu'elle se lève pour se diriger vers l'ordinateur du salon, tout tourne autour d'elle. Elle ne prend pas la peine de s'asseoir devant l'appareil et se rend sur le site de *Terrificorama*.

Moi, Christophe, journaliste du surnaturel, je partage cet enregistrement avec vous. Au moment où j'écris ces lignes, je ne l'ai pas encore écouté, mais je vais le faire dans quelques secondes. Ça concerne un secret immonde qu'on nous cache dans cette ville. Peut-être que vos parents ont été impliqués. Comme cobayes ou complices. La vérité doit se savoir.

Projet Terrificorama 1994. 256 écoutes

Déjà 256 écoutes? Beaucoup

de gens ont écouté cet enregistrement... Amélie n'hésite pas une seconde de plus. Elle s'assure que le son est à un volume assez élevé pour que sa mère entende aussi. Après tout, qui dit qu'elle n'a pas été cobaye, elle aussi, comme Richard, le père de Christophe?

« [...] comme mon collègue, le docteur Tremblay, le mentionnait dans une précédente session : la créature semble de plus en plus faible. Pourtant, son cri est toujours aussi mortel pour les quelques cobayes à qui on ordonne de ne pas mettre de bouchons en caoutchouc. Les autres ont survécu. Le cri ne percerait donc pas le caoutchouc. Voilà une avancée intéressante que nous communiquons avec vous, Général Pothier... Vous serez donc en mesure de vous servir de son cri pour vaincre l'ennemi en cas de guerre... Quoi?... Qu'est-ce qui se passe?... Ça s'est échappé?... La créature! Mettez vos bouchons, vite!... Non! Non!... AAAAAAAAAAAAAAAH! »

ÉPILOGUE

Je lève le regard vers le sourire sadique qui déforme à présent les lèvres du directeur. Peu importe ce qu'il a en tête, je n'aurai pas le choix d'accepter. Pourquoi ai-je eu cette idée folle de lancer une bombe puante dans les toilettes des filles?

– Tu as peut-être entendu parler de Terrificorama…

– Non… Qu'est-ce que c'est?

– Ah… Alors, on dirait que tes petits camarades savent garder un secret... Seras-tu capable d'en faire autant? Ton père est un bon ami à moi et il est déjà au courant du Projet Terrificorama. Comme bien d'autres parents de la ville, il finance le projet. C'est une expérience scientifique qui a besoin de cobayes. Et en cette belle année 1994, les résultats sont meilleurs que jamais! En plus, ça ne prend pas beaucoup de temps. Une seule soirée et on sera quittes. Tu n'as pas à aller bien loin, ça se passe ici, dans le sous-sol de l'école.

– Une expérience? Est-ce que c'est dangereux?

Le directeur me fixe quelques secondes avant de répondre d'une voix mielleuse :

– Non. Bien sûr que non, mon petit Richard.

REMERCIEMENTS :

Merci à Amy Lachapelle pour les commentaires judicieux.

Merci aux Éditions Z'ailées de croire en mes cauchemars depuis plusieurs années et de me permettre de les partager avec les meilleurs lecteurs du monde : les amateurs de Zone Frousse!

JONATHAN REYNOLDS

 Jonathan a écrit pour la première fois pour les jeunes avec *Cris de sang.* Avant, il a publié environ une trentaine de nouvelles dans différentes revues et fanzines, ainsi que deux romans, *Ombres* et *Nocturne*, une novella, *La légende de McNeil*, et deux recueils de nouvelles, *Épitaphes et Silencieuses*. Quand il était enfant, il adorait lire à la lampe de poche des histoires de peur. C'est sans doute la raison pour laquelle il en écrit aujourd'hui... ou peut-être est-ce parce qu'il y a vraiment un monstre sous son lit!

DANS LA MÊME COLLECTION :

Achevé d'imprimer en août 2014
Impression Design Grafik
Ville-Marie (Québec)
819-622-1313